# Inglés sin Barreras

El Video-Maestro de Inglés Conversacional

## 7 De Compras

Manual

Para información sobre
Inglés sin Barreras
en oferta especial de
Referido Preferido
1-800-305-6472
Dé el Código 03429

Focus 70# matte web

## Dedicatoria

Dedicamos este curso a todos los hispanos que tomaron la iniciativa de traer el idioma inglés a sus vidas para expandir sus horizontes. Los sueños pueden convertirse en realidad. Con gran respeto y afecto,

**Sus amigos de Inglés sin Barreras**

| | |
|---|---|
| **Metodología** | Center for Applied Linguistics |
| **Texto** | Karen Peratt, Cristina Ribeiro |
| | Center for Applied Linguistics |
| | International Media Access Inc. |
| **Ilustraciones** | Gabriela Cabrera |
| **Diseño gráfico** | Gabriela Cabrera, José Luis Quilez, |
| | Leena Hannonen/MACnetic Design, |
| | David Kaestle, Inc., Martin Petersson |
| **Guión adaptado - inglés** | Karen Peratt |
| **Guión adaptado - español** | Cristina Ribeiro |
| **Edición** | Horacio Gosparini, Yuri Murúa, |
| | Damián Quevedo, Mike Ramirez |
| **Aprendamos viajando** | Marcos Said, Pablo Moreno, Alfredo León |
| **Música** | Erich Bulling |
| **Diseño gráfico – video** | Marcos Said |
| **Fotografía** | Alejandro Toro, Alfredo León |
| **Producción en línea** | Miguel Rueda |
| **Dirección - video** | Loretta G. Seyer, Patricio Stark |
| **Coordinación de proyecto** | Cristina Ribeiro |
| **Dirección de proyecto** | Karen Peratt |
| **Directora ejecutiva** | Valeria Rico |
| **Productor ejecutivo y director creativo** | José Luis Nazar |

# De Compras

## Índice

# Introducción

¡Bienvenido a Inglés sin Barreras!

*"El que sabe dos idiomas vale por dos personas."*
-José Luis Nazar-

Como se suele decir, hasta un viaje de mil leguas comienza con un sólo paso y si usted tiene este manual en sus manos, ya ha dado ese indispensable primer paso. Aprender inglés es un viaje a lo desconocido que bien vale la pena emprender. Como en todo viaje, para llegar a su destino debe equiparse con un buen mapa y a ser posible, contar con guías experimentados que conozcan a fondo los terrenos y caminos a recorrer. Con **Inglés sin Barreras**, usted tiene en sus manos la mejor guía para adentrarse en los valles y montañas de este idioma tan valioso y que a la vez genera tanta frustración entre los que no lo hablan. **Inglés sin Barreras** será su compañero y amigo a lo largo de este viaje. Juntos emprenderemos una aventura que le brindará la satisfacción personal de haber cumplido con sus objetivos y le proporcionará todas las ventajas y oportunidades de las que goza una persona bilingüe.

Inglés sin Barreras es un curso diseñado para aprovechar al máximo sus esfuerzos.
Desarrollado especialmente para las personas de habla hispana que desean empezar a hablar inglés en su vida diaria, este curso es el resultado de una estrecha colaboración entre educadores norteamericanos y estudiantes hispanos. Los alumnos decidieron lo que querían aprender y los maestros trabajaron con ellos para diseñar las lecciones que enseñasen las palabras y frases necesarias.

# Introducción

**Inglés sin Barreras no es un curso de gramática.**
A diferencia de idiomas como el español o el francés, el idioma inglés no posee una institución académica encargada de vigilar y mantener la pureza y corrección del idioma. A falta de una "Real Academia de la Lengua Inglesa", el inglés se ha convertido en un idioma flexible y maleable en evolución constante. Las palabras inglesas nacen y mueren según la necesidad de los usuarios del idioma; las estructuras de las frases cambian y las jergas y modismos que se utilizan en cada región a menudo entran a formar parte del idioma general, y su uso es tan correcto como las alternativas más tradicionales. En el ámbito académico, se utiliza el concepto de "standard English", es decir, lo que la comunidad internacional de lingüistas y filólogos del idioma inglés considera el inglés universal y correcto. Generalmente, los profesores y cursos de inglés se limitan a enseñar "standard English", haciendo caso omiso de lo que el estudiante oye en la calle o en el trabajo todos los días. Esto puede generar frustración. En **Inglés sin Barreras** hemos hecho un esfuerzo especial por enseñarle un inglés práctico y cotidiano que le permita salir a la calle y desenvolverse en inglés desde el primer momento. **Inglés sin Barreras**, por lo tanto, no es un curso de gramática o una serie de ejercicios lingüísticos. Es una experiencia práctica e informativa que le ayudará a entender y hablar inglés en su vida diaria.

**Los alumnos en las clases de Inglés sin Barreras son como usted.**
Algunos de ellos no hablan nada de inglés y otros hablan un poco, pero todos ellos, como usted, desean hablar más inglés. Ellos saben que cometerán errores al principio, pero eso no importa. Lo importante es que siguen hablando y usted debe seguir hablando también. Deje a un lado la vergüenza y poco a poco irá notando que sus errores irán disminuyendo.

El curso de Inglés sin Barreras consta de 12 volúmenes.
Cada volumen contiene:

- 1 video
- 1 audiocasete o disco compacto
- 1 manual
- 1 cuaderno de ejercicios

Los volúmenes 1 al 10 contienen la misma estructura básica y se basan cada uno en un tema o aspecto de la vida cotidiana. Los videos y manuales están divididos en cinco lecciones. Las lecciones 1, 2, 3 y 4 contienen una sección de vocabulario, una clase y una sección de diálogo. La lección de pronunciación contiene la sección de vocabulario y la clase. Esta lección le ayudará a pronunciar correctamente los sonidos e inflexiones propios del idioma inglés. Cada volumen contiene además las secciones "Aprendamos Viajando", "Aprendamos Cantando" y "Preguntas y Respuestas".
El objetivo de estas secciones es ampliar su vocabulario y divertirle mientras repasa los conocimientos adquiridos en las lecciones. Más adelante, describimos en detalle su contenido.

En el volumen 11, usted ya dominará suficiente inglés como para poder seguir las aventuras de un recién llegado a un país de habla inglesa. Con él, se enfrentará a situaciones de la vida diaria en EE.UU., y aprenderá a desenvolverse hablando en inglés en este país. Los diálogos de este volumen son más avanzados que los de los volúmenes anteriores y servirán para repasar y ampliar vocabulario, para adquirir soltura al hablar en inglés y para mejorar su pronunciación.

# Introducción

El volumen 12, el volumen final de **Inglés sin Barreras**, contiene una película titulada "La última aventura". Esta película norteamericana fue seleccionada por sus diálogos, los cuales le darán la oportunidad de escuchar una gran variedad de acentos y de aprender palabras, expresiones y abreviaturas propias del inglés hablado. Esta película se presenta en inglés porque cuando usted termine el volumen 12 del curso, podrá comprenderla y disfrutarla sin la ayuda de subtítulos ni doblajes.

Además, el volumen 12 contiene el curso de ciudadanía de los Estados Unidos.

# Estudiando con Inglés sin Barreras

Quizá se sienta un poco abrumado al enfrentarse a tanto material. No se preocupe, **Inglés sin Barreras** es un curso sencillo y práctico, diseñado para personas como usted, con muchas ganas de hablar inglés, pero con poco tiempo para estudiar. Al empezar a estudiar, tenga en cuenta lo siguiente:

1 Usted fija su propio ritmo de aprendizaje. Aprender inglés no es una carrera contrarreloj. Lo importante es que avance de lección en lección con confianza, no que cubra una determinada cantidad de material en un periodo de tiempo determinado.

2 Organice sus estudios de inglés de forma que le resulte fácil y cómodo atenerse a un horario de estudios regular. Aprenderá mucho más si estudia quince minutos todos los días que si se somete de vez en cuando a largas sesiones de estudio.

3 No se preocupe si al principio no entiende todas las palabras o el significado exacto de todas las frases. Intente buscar el sentido general de las frases. En este curso, hemos incluido secciones en las que el objetivo no es que comprenda todas y cada una de las palabras, sino que se vaya acostumbrando al inglés hablado a ritmos y a velocidades normales.

4 No se limite únicamente a una sola actividad, como ver los videos o escuchar sus audiocassettes. Vea los videos, escuche los audiocassettes, escriba en su cuaderno de ejercicios, repita cuando se lo pida la cinta o el video, imite la pronunciación. La mejor forma de absorber y aprender un nuevo idioma es utilizando todos los sentidos.

5 Imite abiertamente la pronunciación de los maestros, narradores y actores del curso. Recuerde que, en inglés, hay muchas palabras que no se pronuncian como se escriben y otras tantas que se asemejan al español, pero se pronuncian de

# Estudiando con Inglés sin Barreras

forma diferente. El inglés también tiene sonidos que no existen en español. Escuchar cuidadosamente e imitar los sonidos e inflexiones que oye es la mejor forma de empezar a hablar buen inglés.

**6** La práctica hace al maestro. Aprender un idioma nuevo es igual que adquirir cualquier otra habilidad en la vida. Se empieza con lo que se sabe y la destreza viene con la práctica. Nadie espera que hable perfectamente. Causará una buena impresión cada vez que hable un poco más y se impresionará a sí mismo con su progreso.

**7** Convierta el inglés en parte de su vida diaria. Una de las mayores desventajas que usted puede tener a la hora de aprender inglés es la timidez o la vergüenza a hablar en público. No tema cometer errores y olvídese de su sentido del ridículo. Incluya el inglés en su vida diaria y esfuércese por hablar con sus amigos o compañeros de trabajo en inglés. En las tiendas, pida las cosas en inglés. Lea los letreros de la calle e intente entender su significado. Vea la televisión y escuche la radio en inglés. Pruebe a leer revistas y diarios de habla inglesa. Todos los días, usted se encontrará con un sinfín de oportunidades para escuchar, hablar y escribir inglés. No huya de ellas. No son el enemigo, sino más bien un aliado poderoso que le ayudará a aprender inglés en mucho menos tiempo del que se imagina.

# Las secciones de Inglés sin Barreras

**Veamos ahora en más detalle las secciones de
Inglés sin Barreras.**

### El curso en audiocasetes o en disco compacto (CD)

Los audiocassettes o discos compactos de **Inglés sin Barreras** se han diseñado para usarse en forma totalmente independiente de los videocasetes, libros y cuadernos. El propósito es permitirle estudiar cuando no es posible leer o ver la televisión. El primer audiocasete o CD contiene una introducción y cada lección incluye las instrucciones necesarias. Sin embargo, a modo de glosario y referencia, hemos incluido extractos de las lecciones en los manuales; los encontrará en la sección titulada "Curso de Audio".

### Las lecciones

Los volúmenes 1 a 10 de **Inglés sin Barreras** contienen cinco lecciones cada uno. Las lecciones 1, 2, 3 y 4 se dividen en los siguientes segmentos:

### 1 Vocabulario

Esta sección contiene las palabras y frases que usted debe dominar en inglés con respecto al tema de la lección. Continúe usando la sección de vocabulario como referencia mientras estudia las otras secciones en su manual y su cuaderno.

Tenga en cuenta que esta sección no es como un diccionario que contiene todos los equivalentes posibles para cada palabra en inglés. Sólo contiene aquellas traducciones al español que son apropiadas para la lección.

### 2 Clase

Esta sección es una clase filmada donde los estudiantes practican el vocabulario de cada lección en el contexto de frases y conversaciones en inglés. Escuchar a los maestros en los videos le acostumbrará a los sonidos del inglés. Repetir

# Las secciones de Inglés sin Barreras

después del maestro le acostumbrará a formar estos sonidos.

Compórtese como si fuera un alumno más. Cada vez que los maestros pidan a los alumnos que repitan una palabra, frase u oración, usted debe repetirla también. Cuando pidan a los alumnos que respondan o pregunten algo, usted debe responder o preguntar.

Viendo el video, leyendo el manual y haciendo los ejercicios correspondientes a esa sección, usted aprenderá el material presentado con facilidad.

### 3 Diálogo

Esta sección contiene un diálogo o conversación entre personas de habla inglesa en la que se emplea el vocabulario y estructuras del material de las lecciones que acaba de estudiar.

Cuando vea el diálogo, debería estar lo suficientemente familiarizado con el material como para comprender los diálogos, pero si necesita ayuda, los manuales contienen la traducción del diálogo en español.

Vea los diálogos y asegúrese de que comprende y domina todas las palabras y frases utilizadas en ellos. Luego imite la pronunciación y las inflexiones de los actores en voz alta.

Inglés sin Barreras recomienda…

Hable con un amigo o familiar que también esté estudiando inglés, y lea los diálogos con él. Lea el diálogo de ambos personajes y léalo como si creyera en lo que dice.

# Las secciones de Inglés sin Barreras

Lección de pronunciación

Los volúmenes 1 a 10 incluyen además una lección de pronunciación que contiene la sección de vocabulario y la clase.

Aprender a pronunciar correctamente los sonidos de un nuevo idioma es un verdadero desafío. Las lecciones de pronunciación son de importancia crítica para mejorar su acento cuando hable en inglés, ya que muchos sonidos e inflexiones de este idioma no existen en español.

Aprendamos Viajando

En cada uno de los primeros diez volúmenes de **Inglés sin Barreras** le presentamos una gira en video por una ciudad o estado de los Estados Unidos.

El vocabulario que se utiliza en cada ciudad ha sido cuidadosamente seleccionado para ir aumentando paulatinamente su dominio del idioma.

En los manuales, encontrará una transcripción del segmento, así como su traducción al español. La introducción a **Aprendamos Viajando**, que usted encontrará en los volúmenes 1 y 7, contiene instrucciones más detalladas que le indicarán como estudiar con esta sección.

El objetivo de estas secciones no es que comprenda la totalidad de la narración desde un primer momento, sino que se familiarice con los sonidos, inflexiones y estructuras de las oraciones del idioma inglés. Al principio, sólo entenderá palabras sueltas, pero poco a poco logrará comprender frases enteras.

Aprendamos Cantando

Como ya indicamos anteriormente, el idioma inglés es mucho más que un conjunto de palabras y reglas gramaticales, y donde más se hace aparente es en el lenguaje hablado. El inglés informal contiene expresiones, vocablos y frases que no se encuentran en los diccionarios y que resultan esenciales para comunicarse. Un buen ejemplo de ello lo ofrecen las canciones, ya que éstas

# Las secciones de Inglés sin Barreras

están repletas de frases idiomáticas, contracciones, abreviaturas y expresiones que sólo se utilizan en el inglés coloquial.

Encontrará una sección de **Aprendamos Cantando** en los volúmenes 1 a 10. Las canciones que integran esta sección se han seleccionado por su riqueza en este tipo de expresiones y por su interés lingüístico. Una vez que haya analizado su contenido y aprendido a cantarlas, no sólo habrá sacado a relucir el artista que hay en su interior, sino que además dominará palabras y frases de uso diario en el inglés hablado que no mencionan los diccionarios y libros de gramática.

La introducción a Aprendamos cantando, que encontrará en los volúmenes 1 y 7, contiene instrucciones más detalladas.

Preguntas y Respuestas
Al estudiar inglés, es muy desalentador encontrarse con expresiones, dichos, abreviaturas o palabras de uso común y diario cuyo significado no se logra encontrar en el diccionario. Recibimos muchas cartas de los estudiantes por este motivo. Queremos compartir las respuestas con todos ustedes ya que, para dominar el inglés, es indispensable comprender y utilizar estas palabras y expresiones. Los videos del curso contienen dichas preguntas y sus correspondientes respuestas y explicaciones.

# Las secciones de Inglés sin Barreras

**Curso de ciudadanía de EE.UU.**

Ningún estudio del idioma inglés está completo si no incluye una sinopsis de la historia y el sistema de gobierno de los Estados Unidos, ya que estos han sido influyentes en la cultura de habla inglesa del mundo entero.

El curso de ciudadanía de los Estados Unidos que le ofrece **Inglés sin Barreras** le ayudará a obtener la comprensión general indispensable para orientarse dentro del marco de la sociedad y de los derechos y obligaciones cívicas de los ciudadanos estadounidenses. Este curso incluye las 100 preguntas requeridas por el Servicio de Inmigración y Naturalización de los Estados Unidos; ayudará a aquellos alumnos que deseen prepararse para el examen de ciudadanía norteamericana.

**Las Películas**

Los volúmenes finales de Inglés sin Barreras contienen películas y diálogos destinados a mejorar su capacidad de comprender y hablar en inglés, así como a reforzar y ampliar su vocabulario. Las introducciones que encontrará en los videos y manuales de estos volúmenes le ayudarán a estudiar con estas películas.

# Instrucciones

**Inglés sin Barreras** es principalmente un curso en videocasetes. Los manuales y cuadernos deben usarse como guía para entender y recordar las lecciones de los videos. Recuerde que los audiocasetes son un curso independiente para que usted continúe estudiando cuando no tenga fácil acceso a una videocasetera, pero pueda dedicarle unos minutos al inglés. Por ejemplo, una forma excelente de estudiar con los audiocasetes es llevarlos en el auto y escucharlos mientras conduce.

No nos gusta establecer planes rigurosos de estudios, ya que preferimos que usted mismo se trace su propio plan, uno que sea adecuado a su horario, su forma de vida y su ritmo de aprendizaje. Sin embargo, a modo de sugerencia, le recomendamos que siga los siguientes pasos a la hora de estudiar.

1. **Repaso.** Dedique unos minutos a repasar el material que estudió el día anterior. Quizá le basten 2 minutos, o quizá no crea que domina el material por completo y prefiera emplear toda la sesión en repasar el material del día anterior. Recuerde, usted es quien decide.

2. **Familiarícese con el contenido.** Vea todo el material correspondiente a la sección que desea estudiar para familiarizarse con el contenido.

3. **Vea el video.** Vea la lección o un segmento de la lección por lo menos dos veces sin consultar con el manual.

4. **Consulte su Manual.** Vuelva a ver el mismo segmento, esta vez consultando las páginas correspondientes de su manual.

5. **Practique lo aprendido.** Recuerde que aprender inglés es igual que

aprender un oficio: la práctica hace al maestro. En los manuales, le sugerimos varias formas de practicar lo aprendido.

**6. Ejercicios.** Al acabar cada lección, complete las actividades correspondientes en su cuaderno de ejercicios. Luego, verifique que respondió correctamente en la sección de respuestas. Si falló demasiadas preguntas, quizá sea buena idea repasar la lección con la ayuda de su manual y video.

**7. Exámenes.** Al acabar un volumen, complete el examen final correspondiente a ese volumen. Encontrará el examen al final de su cuaderno de ejercicios. Repase el material relacionado con cualquier respuesta incorrecta.

**8.** Una vez que haya completado los primeros diez volúmenes de Inglés sin Barreras, proceda con las actividades de los volúmenes 11 y 12.

**9. Examen Final.** Cuando sienta que domina todo el material, haga el examen final.

**Nota Final**
**Inglés sin Barreras** es un curso en evolución constante. Nuestro propósito es ofrecer al estudiante de hoy los mejores métodos de aprendizaje y el contenido más práctico y adecuado a sus necesidades. Sus opiniones, comentarios y sugerencias nos son, por lo tanto, sumamente valiosos y se utilizarán para mejorar futuras ediciones del curso. Recuerde, estaremos encantados de comprobar su progreso y escuchar sus opiniones. Siga las instrucciones que figuran en la página del examen final de sus cuadernos de ejercicios para ponerse en contacto con nosotros.

*¡Le deseamos mucho éxito!*

# 1 Notas

Lección 1

# Notas

Le recomendamos que lea las palabras de vocabulario antes de ver el video correspondiente a esta lección. Éstas son las palabras más importantes de esta lección.

| | |
|---|---|
| all | *todo, toda, todos, todas* |
| a few | *unos cuantos, unas cuantas* |
| a lot of | *mucho, mucha, muchos, muchas* |
| many | *muchos, muchas* |
| no | *no* |
| too many | *demasiados, demasiadas* |
| nothing | *nada* |
| some | *algunos, algunas* |
| several | *varios, varias* |
| | |
| perhaps | *quizás, tal vez* |
| maybe | *quizás, tal vez* |
| | |
| list | *lista* |
| general | *general* |
| specific | *específico(a)* |
| (to) bring | *traer* |
| (to) have | *tener* |
| (to) count | *contar* |
| | |
| shelf | *estantería, estante* |
| groceries | *comestibles, alimentos* |
| food | *comida* |
| fresh | *fresco(a)* |

| | |
|---|---|
| baked goods | *pan y pasteles, repostería* |
| produce | *frutas y verduras* |
| fruit | *fruta* |
| vegetable | *verduras* |
| dairy | *productos lácteos* |
| meat | *carne* |
| seafood | *marisco* |
| frozen food | *comida congelada* |
| snacks | *refrigerio, tentempié, aperitivo* |
| grain | *trigo* |
| cereal | *cereales* |
| canned | *en lata, enlatado* |
| flower | *flor* |

## Más vocabulario

| | |
|---|---|
| apple | *manzana* |
| avocado | *aguacate* |
| beans | *frijoles* |
| banana | *plátano, banana* |
| green beans | *ejotes, habichuelas* |
| carrot | *zanahoria* |
| cherry | *cereza* |
| grapes | *uvas* |
| lemon | *limón* |
| lime | *lima* |
| onion | *cebolla* |
| orange | *naranja* |
| peach | *durazno* |
| pear | *pera* |
| peas | *guisantes, chícharos* |

| | |
|---|---|
| green pepper | *pimiento verde* |
| chili pepper | *chile* |
| pineapple | *piña* |
| potato | *papa, patata* |
| tomato | *tomate* |
| strawberry | *fresa* |
| | |
| world | *mundo* |
| hamburger | *hamburguesa* |
| vegetarian | *vegetariano(a)* |

## Elementos esenciales

**Esta sección destaca los elementos básicos de esta lección. Lea detenidamente lo que incluimos en ella.**

| too many | all | a lot of | several | some | a few |
|---|---|---|---|---|---|

| | |
|---|---|
| general = fruit | general = vegetable |
| *general fruta* | *general verdura* |
| | |
| specific = pear | specific = carrot |
| *específico pera* | *específico zanahoria* |

## Aprenda y practique

Le recomendamos que aprenda las expresiones y oraciones que se incluyen en esta lección. Practique lo aprendido cada día.

| grocery store | *tienda de comestibles* |
| | *tienda de alimentación* |
| produce | *frutas y verduras* |
| baked goods | *repostería, pan y pasteles* |
| frozen food | *comida congelada* |
| meat and seafood | *carne, pescado y marisco* |
| dairy | *productos lácteos* |
| snacks | *refrigerio, tentempié, aperitivo* |
| cereal and grains | *cereales* |
| flowers | *flores* |

## A p u n t e s

### "Maybe" y "perhaps"

Las palabras **maybe** y **perhaps** indican posibilidad.

> Maybe they are talking about the refrigerator.
> (Or, maybe they are not.)
> *Quizás estén hablando del refrigerador.*
> *(O quizás no.)*

> Perhaps you are right.
> (Or, perhaps you are not right.)
> *Tal vez tengas razón.*
> *(O tal vez no tengas razón.)*

Muchas veces, se utiliza **maybe** y **perhaps** cuando no se está seguro de lo que se va a hacer en el futuro. Al incluir estas palabras en una oración, no descartamos ninguna posibilidad en relación con acciones futuras.

> Maybe I will go to the party.
> *Quizás vaya a la fiesta.*

> Maybe I will take the bus to work tomorrow.
> *Quizás tome el autobús mañana para ir al trabajo.*

## La tienda de alimentación

Una tienda de alimentación está generalmente organizada por grupos de alimentos tales como las frutas y verduras o los productos lácteos. Los grupos principales son: frutas y verduras, carne, pescado y marisco, repostería, productos enlatados, comidas congeladas, productos lácteos, cereales, refrigerios y bebidas.

Hay una sección de productos enlatados que incluye, por ejemplo, el maíz en lata o la salsa de tomate. Los productos embotellados están generalmente en la misma sección. Las comidas congeladas se colocan en una sección especial de la tienda; en ella encontrarán el helado y las comidas preparadas congeladas. También hay un estante de legumbres y cereales.

## Frutas y verduras

En esta lección, se presentó un número limitado de frutas y verduras. Todas ellas se pueden contar: una manzana, dos manzanas, tres manzanas.

| | |
|---|---|
| vegetables | *verduras* |
| avocado | *aguacate* |
| green beans | *ejotes, habichuelas verdes* |
| carrot | *zanahoria* |
| onion | *cebolla* |
| peas | *guisantes, chícharos* |
| green pepper | *pimiento verde* |
| chili pepper | *chile* |

| fruit | *fruta* |
|---|---|
| cherry | *cereza* |
| lemon | *limón* |
| lime | *lima* |
| apple | *manzana* |
| peach | *durazno* |
| pear | *pera* |
| pineapple | *piña* |
| grapes | *uvas* |
| strawberries | *fresas* |

¿Qué otras frutas y verduras conoce usted? Si no sabe los nombres en inglés, búsquelos en el diccionario.

¿Sabe usted por qué hay nombres de frutas y verduras que se usan casi siempre en plural, como los chícharos o las fresas? ¡Pues, porque casi nunca comemos un solo chícharo o una sola fresa!

**Y si su chico le pregunta...**

Why did the picture go to jail?
It was framed.

*¿Por qué fue a la cárcel el cuadro?*
*Lo enmarcaron.*

frame = marco, to frame = enmarcar, pero también significa hacer que otro parezca culpable de un crimen que no ha cometido.

## Cosas que se pueden contar

Estos sustantivos se pueden poner en plural. También pueden asociarse a un artículo indefinido (**a** o **an**). Y se pueden asociar con números: uno, dos, diez, etc.

| cosas que se pueden contar | a/an | forma plural | números |
|---|---|---|---|
| banana | a banana | bananas | 3 bananas |
| *banana* | *una banana* | *bananas* | *3 bananas* |
| apple | an apple | apples | 9 apples |
| *manzana* | *una manzana* | *manzanas* | *9 manzanas* |
| orange | an orange | oranges | 4 oranges |
| *naranja* | *una naranja* | *naranjas* | *4 naranjas* |
| carrot | a carrot | carrots | 2 carrots |
| *zanahoria* | *una zanahoria* | *zanahorias* | *2 zanahorias* |

**How many?** (¿cuántos?, ¿cuántas?) se usa para preguntar acerca de las cosas que se pueden contar.

How many bananas are on the table?
*¿Cuántas bananas hay en la mesa?*
How many strawberries do we need?
*¿Cuántas fresas necesitamos?*

Además de los números, hay muchas expresiones de cantidad que se utilizan con las cosas que se pueden contar.

| too many | many | a lot of | some | several | a few |
|----------|------|----------|------|---------|-------|
| *demasiados* | *muchos* | *mucho* | *algunos* | *varios* | *unos cuantos* |

## Formas de contar específicas o indeterminadas

Usamos **a** y **an** con las cosas que se pueden contar cuando nos referimos a una sola cosa.

> I ate a banana for lunch.
> *Yo almorzé un plátano.*

> Did you bring an orange today?
> *¿Has traído una naranja hoy?*

Usamos **the** con las cosas que se pueden contar cuando nos referimos a cosas específicas.

> I ate the banana you gave me.
> *Me comí la banana que tú me diste.*

> Did you eat the big orange or the small orange?
> *¿Te comiste la naranja grande o la pequeña?*

**Many, some, several, a few** y **a lot of** se usan con dos o más cosas que se puede contar.

> Please buy some carrots.
> *Por favor, compra zanahorias.*
>
> There are a lot of strawberries in the refrigerator.
> *Hay muchas fresas en el refrigerador.*
>
> We have a few apples.
> *Tenemos unas cuantas manzanas.*

## Plurales irregulares

Ciertos nombres de frutas y verduras tienen plurales irregulares.

| | | | |
|---|---|---|---|
| tomato | tomatoes | potato | potatoes |
| *tomate* | *tomates* | *papa* | *papas* |

## "To have" y "to eat"

En el diálogo, Tom dice, **I'll have a banana. What will you have for lunch?** En estas oraciones, **have** significa "comer". "Comeré una banana. ¿Qué comerás tú?"

Éste es el texto completo del diálogo incluido en el video. Usted hará el papel del espectador (viewer). Si le hacen una pregunta personal, conteste usando información personal. Tenga en cuenta que las respuestas del espectador que le proporcionamos no son las únicas respuestas correctas.

## El almuerzo

| Amy | Tom?<br>*¿Tom?* |
|---|---|
| Tom | I'm thinking about lunch. I'm hungry.<br>*Estoy pensando en el almuerzo. Tengo hambre.* |
| Amy | What are you going to eat for lunch?<br>How about a hamburger?<br>*¿Qué vas a almorzar?*<br>*¿Qué tal una hamburguesa?* |
| Tom | No! I'm a vegetarian.<br>*¡No! Soy vegetariano.* |
| Amy | You are?<br>*¿De verdad?* |
| Tom | Yes, I eat only fruit and vegetables.<br>*Sí, sólo como frutas y verduras.* |
| Amy | Really? What will you eat for lunch?<br>*¿De verdad? ¿Qué vas a almorzar?* |

| | |
|---|---|
| Tom | Well, I'll eat some carrots and a potato. Maybe I'll have some beans, too. *Bueno, comeré zanahorias y una patata. Quizás coma frijoles también.* |
| Amy | Will you eat any fruit? *¿Comerás fruta?* |
| Tom | Of course! I'll have a banana and a few strawberries. *¡Por supuesto! Comeré una banana y unas cuantas fresas.* |
| Amy | Hmmmm. Now I'm hungry, too! What will you have for lunch? *Mmmmm. ¡Ahora tengo hambre yo también! ¿Qué va a almorzar usted?* |
| <u>Viewer</u> | I'll have _____. *Yo comeré_____.* |

**Amy**    I think I'll go to Sue's Coffee House.
Do you want to come with me?
*Creo que iré a Sue's Coffee House.*
*¿Quiere venir conmigo?*

**Viewer**    Yes, thank you./No, thank you.
*Sí, gracias. / No, gracias.*

*Amy*    How about you, Tom?
*¿Y tú, Tom?*

**Tom**    No. Thanks, though. I brought my lunch.
*No. Gracias de todas maneras. Traje mi almuerzo.*

· · · · · · · · · · · · · · · · · · · · · · · · · · · · · · · · · · · · · · · · · · · · · · · · · · · · ·

**Chiquilladas del idioma para compartir con su familia:**

How much does it cost for pirates to have their ears pierced?
A buccaneer.

*¿Cuánto les cuesta a los piratas perforarse las orejas?*
*Un bucanero.*

buccanner = bucanero, pero suena como a buck an ear = un dólar por oreja;
buck = dólar (coloquial)

**31**

# 2 Notas

Lección

2

# 2 Notas

Le recomendamos que lea las palabras de vocabulario antes de ver el video correspondiente a esta lección. Éstas son las palabras más importantes de esta lección.

| | |
|---|---|
| too much | *demasiado(a)* |
| a little | *un poco* |
| any | *cualquier* |
| only | *sólamente, sólo* |
| dozen | *docena* |
| | |
| egg | *huevo* |
| ice cream | *helado* |
| yogurt | *yogur* |
| cheese | *queso* |
| milk | *leche* |
| margarine | *margarina* |
| butter | *mantequilla* |
| | |
| meat | *carne* |
| ham | *jamón* |
| beef | *carne de res* |
| pork | *carne de cerdo* |
| chicken | *pollo* |
| lamb | *cordero* |
| hot dog | *perrito caliente* |
| sausage | *salchicha* |
| turkey | *pavo* |
| bacon | *tocino* |

| fish | *pescado* |
| seafood | *marisco* |
| shrimp | *camarón, gamba* |
| rice | *arroz* |
| pasta | *pasta* |
| | |
| cookie | *galleta* |
| bread | *pan* |

## Más vocabulario

| non-count noun | *cosas que no se pueden contar* |
| clue | *pista, clave* |

# Elementos esenciales

Esta sección destaca los elementos básicos de esta lección.
Lea detenidamente lo que incluimos en ella.

| too much | a lot of | some | a little | no |
|----------|----------|------|----------|-----|
| *demasiado* | *mucho* | *algo de* | *un poco* | *no,* *nada* |

**Chiquilladas del idioma para compartir con su familia:**

What happens if you talk to your money?
You wouldn't make cents.

*¿Qué pasa si le hablas a tu dinero?*
*No tendrías centavos.*

cents = centavos, pero suena como sense = sentido

# Apuntes

## Pasillos de la tienda de comestibles

Las secciones de carne, pescado y mariscos, y de productos lácteos se encuentran en todas las tiendas de alimentación. ¿Cuáles son los alimentos que se incluyen en cada una de estas secciones?

Meat *Carne*

| | | | |
|---|---|---|---|
| pork *carne de cerdo* | bacon *tocino* | ham *jamón* | sausage *salchicha* |
| beef *carne de res* | hamburger *hamburguesa* | steak *bistec* | chicken *pollo* |
| turkey *pavo* | lamb *cordero* | | |

Seafood *Pescado y marisco*

| | | |
|---|---|---|
| shrimp *camarones* | fish *pescado* | salmon *salmón* |

Dairy *Productos lácteos*

| | | |
|---|---|---|
| cheese *queso* | milk *leche* | margarine *margarina* |
| eggs *huevos* | butter *mantequilla* | yogurt *yogur* |

## Cosas que no se pueden contar

Las cosas que no se pueden contar se refieren a un grupo o a una categoría, en vez de a un elemento individual. No se pueden utilizar palabras tales como **a**, **an** o números delante de las cosas que no se pueden contar. Además, estos nombres no tienen forma plural.

| | |
|---|---|
| food | *comida* |
| rice | *arroz* |
| bread | *pan* |
| cheese | *queso* |
| milk | *leche* |
| water | *agua* |
| meat | *carne* |
| seafood | *marisco* |
| fish | *pescado* |
| beef | *carne de res* |
| pork | *carne de cerdo* |
| chicken | *pollo* |

Las cosas que no se pueden contar no incluyen sólamente productos alimenticios.

| weather | *clima* |
| wood | *madera* |
| money | *dinero* |
| furniture | *muebles* |
| work | *trabajo* |
| information | *información* |

**How much?** Se utiliza para determinar la cantidad de cosas que no se pueden contar.

How much bread did you buy?
*¿Cuánto pan compraste?*
How much milk do we need?
*¿Cuánta leche necesitamos?*

Además, hay expresiones de cantidad que se usan con nombres que se pueden contar.

| too much | a lot of | some | a little | no |
| *demasiado(a)* | *mucho(a)* | *algo de* | *un poco* | *no/nada* |

They bought too much bread.
*Ellos compraron demasiado pan.*

She has a lot of cheese.
*Ella tiene mucho queso.*

I ate some rice for lunch.
*Yo comí algo de arroz en el almuerzo.*

We need a little meat.
*Necesitamos un poco de carne.*

There is no beef in the refrigerator.
*No hay carne de res en el refrigerador.*

 Al hablar de cosas que no se pueden contar, debe usar la forma singular del verbo.

There is milk in the refrigerator.
*Hay leche en el refrigerador.*

The cheese was delicious.
*El queso era delicioso.*

## "Any"

**Any** es similar a **some**. **Any** se refiere a una cantidad indeterminada. **Some** se usa en oraciones afirmativas y en ofrecimientos y peticiones.

We have some milk in the refrigerator.
*Tenemos algo de leche en el refrigerador.*

Would you like some ice cream?
*¿Quieres helado?*

Can we have some cookies?
*¿Podemos comer algunas galletas?*

**Any** se usa en oraciones negativas y en preguntas a las que se contesta diciendo "sí" o "no".

> We don't have any milk in the refrigerator.
> *No tenemos leche en el refrigerador.*
>
> Do we have any cookies?
> *¿Tenemos galletas?*

**Some** y **any** se usan con ambos grupos de palabras: las cosas que se pueden contar y las cosas que no se pueden contar.

## Cosas que se pueden contar y cosas que no se pueden contar.

Ciertas palabras se usan para hablar de cosas que se pueden contar y de cosas que no se pueden contar. Cuando **chicken** (pollo) se refiere a un tipo de carne, entonces es una cosa que no se puede contar; cuando se refiere a un animal, **a chicken** (un pollo), entonces es una cosa que se puede contar.

> I saw three chickens outside the grocery store.
> *Vi tres pollos fuera de la tienda de comestibles.*
> We bought too much chicken at the grocery store.
> *Compramos demasiado pollo en la tienda de comestibles.*
>
> My brother ate ten sausages for breakfast!
> *¡Mi hermano desayunó diez salchichas!*
> I hate sausage!
> *¡Odio las salchichas!*

## Medidas especiales

Hay palabras que expresan cantidad y que se asocian a alimentos específicos. Éstas son las de uso más frecuente.

| | |
|---|---|
| cup | 3 cups of coffee |
| *taza* | *3 tazas de café* |
| | |
| glass | a glass of water |
| *vaso* | *un vaso de agua* |
| | |
| slice | two slices of bread |
| *rodaja* | *dos rodajas de pan* |
| | |
| piece | a piece of cake |
| *trozo* | *un trozo de pastel* |
| | |
| loaf | a loaf of bread |
| *barra* | *una barra de pan* |
| | |
| pound | a pound of hamburger |
| *libra* | *una libra de hamburgesa* |
| | |
| carton | four cartons of orange juice |
| *cartón* | *cuatro cartones de jugo de naranja* |
| | |
| gallon | two gallons of milk |
| *galón* | *dos galones de leche* |
| | |
| half-gallon | a half-gallon of milk |
| *medio galón* | *medio galón de leche* |

Estas medidas pueden usarse en plural.
Dozen (docena) es también otra palabra que expresa cantidad.
Please buy a dozen eggs.
Compra una docena de huevos, por favor.
Pero dozen no tiene forma plural:
Please buy two dozen eggs.
Compra dos docenas de huevos, por favor.

**43**

# ② Diálogo

Éste es el texto completo del diálogo incluido en el video. Usted hará el papel del espectador (viewer). Si le hacen una pregunta personal, conteste usando información personal. Tenga en cuenta que las respuestas del espectador que le proporcionamos no son las únicas respuestas correctas.

## La lista de la compra

| Amy | I need to make a grocery list before we go. |
| | *Tengo que hacer la lista de la compra antes de salir.* |
| | |
| Bill | I'll help. Tell me what we need. I'll make the list. |
| | *Te ayudaré. Dime qué necesitamos. Yo haré la lista.* |
| | |
| Amy | Well, we need some fresh vegetables. |
| | *Bueno, necesitamos verduras frescas.* |
| | |
| Bill | Let's get some carrots. |
| | *Compremos algunas zanahorias.* |
| | |
| Amy | OK, and we need a few potatoes, too. |
| | *Está bien, y también necesitamos unas cuantas papas.* |
| | |
| Bill | How about some fruit? |
| | *¿Qué tal algo de fruta?* |
| | |
| Amy | No, we have a lot of fruit. |
| | We have several pears, and some apples, and |
| | a lot of strawberries. |
| | *No, tenemos mucha fruta.* |
| | *Tenemos varias peras, algunas manzanas y muchas fresas.* |

**44**

| | |
|---|---|
| Bill | Do we have any eggs?<br>*¿Tenemos huevos?* |
| <u>Viewer</u> | <u>No, you don't.</u><br>*No.* |
| Amy | Hmm ... Let's get a dozen eggs.<br>We have some chicken.<br>*Mmm ... Compremos una docena de huevos.*<br>*Tenemos pollo.* |
| Bill | Let's get some beef.<br>*Compremos carne de res.* |
| Amy | OK.<br>*Muy bien.* |
| Bill | Anything else?<br>*¿Algo más?* |
| Amy | We don't have any rice.<br>*No tenemos arroz.* |
| Bill | Do we need pasta?<br>*¿Necesitamos pasta?* |
| <u>Viewer</u> | <u>No, you have too much pasta.</u><br>*No, tienen demasiada pasta.* |

| Amy | We have too much pasta. |
| | *Tenemos demasiada pasta.* |

| Bill | Can we get some cookies, too? |
| | *¿También podemos comprar galletas?* |

| Amy | Sure. We'll get some cookies. |
| | *Claro. Compraremos galletas.* |

| Bill | Great! Let's go! |
| | *¡Estupendo! ¡Vamos!* |

# Pronunciación

# Notas

# Apuntes

Al aprender un idioma, es importante que sepamos expresar que no enten-
demos lo que alguien nos ha dicho. En inglés, la pregunta **What?** es informal y hasta puede resultar grosera.

Es mejor pedir una aclaración usando una oración completa que empiece
con una expresión cortés, tal como:

Excuse me, what did you say?     *Discúlpeme, ¿qué dijo usted?*
Excuse me, can you repeat that?     *Discúlpeme, ¿puede repetirlo?*

Es posible que la persona nos conteste repitiendo la misma oración exacta-
mente de la misma manera. Si seguimos sin entender, hay otras alternativas. Podemos pedir una aclaración haciendo preguntas específicas.

Did you say that you will be here tomorrow?
*¿Dijo usted que estará aquí mañana?*

Did you say that you will be here tomorrow or you won't be here tomorrow?
*¿Dijo usted que estará aquí mañana o que no estará aquí mañana?*

What did you say about tomorrow?
*¿Qué dijo usted respecto a mañana?*

# 3 Notas

Lección **3**

# 3 Notas

Le recomendamos que lea las palabras de vocabulario antes de ver el video correspondiente a esta lección. Éstas son las palabras más importantes de esta lección.

| | |
|---|---|
| (to) wear | *vestir, llevar* |
| (to) compare | *comparar* |
| (to) get ready | *arreglarse* |
| | |
| clothes | *ropa* |
| blouse | *blusa* |
| dress | *vestido* |
| jacket | *chaqueta* |
| jeans | *pantalones tejanos, pantalones vaqueros* |
| pajamas | *pijama* |
| pants | *pantalones* |
| raincoat | *impermeable* |
| sandals | *sandalias* |
| shirt | *camisa* |
| shoes | *zapatos* |
| socks | *calcetines* |
| shorts | *pantalones cortos* |
| skirt | *falda* |
| sneakers | *zapatillas de deporte* |
| socks | *calcetines* |
| T-shirt | *camiseta* |
| tennis shoes | *zapatillas de tenis* |
| pair | *par* |

| less | menos |
| more | más |
| than | que |
| bigger | más grande |
| smaller | más pequeño(a) |
| newer | más nuevo(a) |
| older | más viejo(a) |
| nicer | más bonito(a) |
| uglier | más feo(a) |
| longer | más largo(a) |
| shorter | más corto(a) |

## Más vocabulario

| comparative adjective | adjetivo comparativo |

## Elementos esenciales

Esta sección destaca los elementos esenciales de esta lección. Lea detenidamente lo que incluimos en ella.

This vest is newer than that one.
*Este chaleco es más nuevo que aquel.*

The red jacket is more expensive than the black jacket.
*La chaqueta roja es más cara que la negra.*

## Aprenda y practique

**Le recomendamos que aprenda las expresiones y oraciones que se incluyen en esta lección. Practique lo aprendido cada día.**

| | |
|---|---|
| old | older |
| *viejo(a)* | *más viejo(a)* |
| new | newer |
| *nuevo(a)* | *más nuevo(a)* |
| long | longer |
| *largo(a)* | *más largo(a)* |
| short | shorter |
| *corto(a)* | *más corto(a)* |
| small | smaller |
| *pequeño(a)* | *más pequeño(a)* |
| nice | nicer |
| *fino(a)/delicado(a)* | *más fino(a)/delicado(a)* |
| cute | cuter |
| *lindo(a)* | *más lindo(a)* |
| big | bigger |
| *grande* | *más grande* |

| | | |
|---|---|---|
| fat | fatter | |
| *gordo(a)* | *más gordo(a)* | |
| thin | thinner | |
| *delgado(a)* | *más delgado(a)* | |
| ugly | uglier | |
| *feo(a)* | *más feo(a)* | |
| pretty | prettier | |
| *lindo(a)* | *más lindo(a)* | |

| | | |
|---|---|---|
| beautiful | more beautiful | less beautiful |
| *hermoso(a)* | *más hermoso(a)* | *menos hermoso(a)* |
| interesting | more interesting | less interesting |
| *interesante* | *más interesante* | *menos interesante* |
| important | more important | less important |
| *importante* | *más importante* | *menos importante* |

• • • • • • • • • • • • • • • • • • • • • • • • • • • • • • • • • • • • • • • •

**Para compartir con los niños...**

What kind of bird is always sad?
A blue bird.

*¿Qué tipo de pájaro siempre está triste?*
*El pájaro azul.*

*blue=azul, pero también significa triste.*

# Apuntes

## Cómo comparar cosas

En inglés, hay un modelo de oración que sirve para comparar dos cosas. La oración se forma colocando la palabra **than** después del adjetivo, separando así las cosas que se están comparando.

> Alejandro's T-shirt is newer than Cesar's T-shirt.
> *La camiseta de Alejandro es más nueva*
> *que la camiseta de César.*

> Alejandro's T-shirt is bigger than Cesar's T-shirt.
> *La camiseta de Alejandro es más grande*
> *que la camiseta de César.*

Si los elementos que se están comparando ya se han mencionado, el segundo elemento puede omitirse.

> Alejandro's T-shirt is newer.
> *La camiseta de Alejandro es más nueva.*

> Alejandro's T-shirt is bigger.
> *La camiseta de Alejandro es más grande.*

## Cómo formar un adjetivo comparativo

Para formar adjetivos comparativos, se han de seguir ciertas reglas.

Si el adjetivo tiene una sílaba y dos consonantes al final: añada **er**

old | older
*viejo(a)* | *más viejo(a)*

small | smaller
*pequeño(a)* | *más pequeño(a)*

Si el adjetivo tiene una sílaba y termina en **e**: añada una **r**

nice | nicer
*fino(a)* | *más fino(a)*

wise | wiser
*sabio(a)* | *más sabio(a)*

cute | cuter
*lindo(a)* | *más lindo(a)*

Si el adjetivo tiene una sílaba y termina en vocal + consonante: duplique la consonante y añada **er**.

| | |
|---|---|
| big | bigger |
| *grande* | *más grande* |
| fat | fatter |
| *gordo(a)* | *más gordo(a)* |
| thin | thinner |
| *delgado(a)* | *más delgado(a)* |

Si el adjetivo tiene dos o más sílabas y termina en y, cambie la y por i y añada **er**.

| | |
|---|---|
| ugly | uglier |
| *feo(a)* | *más feo(a)* |
| pretty | prettier |
| *bonito(a)* | *más bonito(a)* |
| funny | funnier |
| *gracioso(a)* | *más gracioso(a)* |

## Adjetivos más largos

Si el adjetivo tiene dos o más sílabas, se coloca la palabra **more** delante del adjetivo para formar la comparación.

| | |
|---|---|
| beautiful | more beautiful |
| *hermoso(a)* | *más hermoso(a)* |
| important | more important |
| *importante* | *más importante* |
| convenient | more convenient |
| *práctico(a)* | *más práctico(a)* |

Para hacer una comparación negativa, se coloca la palabra **less** delante del adjetivo.

| | |
|---|---|
| beautiful | less beautiful |
| *hermoso(a)* | *menos hermoso(a)* |
| important | less important |
| *importante* | *menos importante* |
| convenient | less convenient |
| *práctico(a)* | *menos práctico(a)* |

## Comparativos irregulares

Dos adjetivos importantes, **good** (bueno) y **bad** (malo), tienen formas comparativas irregulares; no siguen las reglas descritas anteriormente.

| | |
|---|---|
| good | better |
| *bueno(a)* | *mejor* |
| | |
| bad | worse |
| *malo(a)* | *peor* |

My mother's cooking is better than my cooking.
*La comida que cocina mi madre es mejor que la que cocino yo.*
The green apple tastes worse than the red one.
*La manzana verde sabe peor que la roja.*

## "A little"

A little (un poco) se usa con frecuencia delante de adjetivos comparativos.

>His coat is a little nicer than mine.
>*Su abrigo es un poco más fino que el mío.*
>Sandy is a little more beautiful than Kate.
>*Sandy es un poco más hermosa que Kate.*

## La Ropa

A veces, las prendas de vestir pueden tener nombres diferentes.

pants
Esta palabra incluye todo tipo de pantalones.

slacks
Esta palabra se refiere a pantalones de vestir.

trousers
Esta palabra indica únicamente pantalones de caballero.

jeans
pantalones tejanos o vaqueros de algodón o mezclilla

shirt
Esta palabra incluye todo tipo de camisas. También se refiere a un tipo de camisa específico, generalmente con cuello.

## blouse
Sólo se usa para las prendas de señora y suelen ser blusas de vestir.

## T-shirt
Es una camisa de algodón sin cuello, una prenda de vestir informal.

## turtleneck
suéter de cuello alto

## coat
Esta palabra se refiere a todo tipo de abrigos

| | |
|---|---|
| jacket | *chaqueta* |
| ski jacket | *chaqueta de esquí* |
| raincoat | *impermeable* |

## shoes
zapatos

| | |
|---|---|
| sneakers | *zapatillas* |
| athletic shoes | *zapatillas de deporte* |
| | |
| tennis shoes | *zapatillas de tenis* |
| athletic shoes | *zapatillas de deporte* |
| sandals | *sandalias* |
| high heels | *zapatos de tacón* |
| | |
| pairs | *pares* |

Algunas prendas de vestir vienen en pares, como por ejemplo, los zapatos, los calcetines y los pantalones.

I bought a new pair of shoes.
*Me compré un par de zapatos nuevos.*

Do you have two green pairs of socks?
*¿Tienes dos pares de calcetines verdes?*

I can't find my black pair of pants.
*No puedo encontrar mis pantalones negros.*

Éste es el texto completo del diálogo incluido en el video. Usted hará el papel del espectador (viewer). Si le hacen una pregunta personal, conteste usando información personal. Tenga en cuenta que las respuestas del espectador que le proporcionamos no son las únicas respuestas correctas.

## Preparándose para la fiesta

| | |
|---|---|
| Ann | Hey, Leslie. |
| | *Eh, Leslie.* |
| Leslie | Hi, Ann. I don't know what to wear to the party. |
| | *Hola, Ann. No sé qué ponerme para la fiesta.* |
| Ann | Well, I'll help! Let's look at your clothes. |
| | *Bueno, ¡yo te ayudaré! Echemos un vistazo a tu ropa.* |
| Leslie | That's a nice jacket. |
| | It's nicer and newer than my jacket. |
| | *Ésa es una chaqueta bonita.* |
| | *Es más fina y más nueva que mi chaqueta.* |
| Viewer | Oh, thank you. |
| | *Oh, gracias.* |
| Leslie | I want to wear this shirt. |
| | What can I wear with it? |
| | *Quiero ponerme esta camisa.* |
| | *¿Qué puedo ponerme con ella?* |

| | |
|---|---|
| <u>Viewer</u> | How about _____? |
| | *¿Qué le parece_____?* |
| | |
| Leslie | Hmmm… |
| | *Mmmm...* |
| | |
| Ann | Hey, I like this skirt! You can wear this. |
| | *¡Eh, me gusta esta falda! Puedes ponerte esto.* |
| | |
| Leslie | No, it's too short. |
| | *No, es demasiado corta.* |
| | |
| Ann | How about this one? |
| | *¿Y qué tal ésta?* |
| | |
| Leslie | No! It's shorter than this one! |
| | What are you wearing to the party? |
| | *¡Es más corta que ésta!* |
| | *¿Qué te vas a poner para la fiesta?* |
| | |
| <u>Viewer</u> | I'm wearing _____. |
| | *Me voy a poner_____.* |
| | |
| Ann | I'm wearing jeans. |
| | Do you want to wear jeans? |
| | *Me voy a poner pantalones vaqueros.* |
| | *¿Quieres ponerte pantalones vaqueros?* |
| | |
| Leslie | Maybe. |
| | *Tal vez.* |

**65**

**Ann**       You can wear this blouse with the jeans.
*Puedes ponerte esta blusa con los vaqueros.*

**Leslie**    I think I like this shirt.
*Creo que me gusta esta camisa.*

**Ann**       Maybe, but I think you will look more
beautiful wearing this blouse.
*Tal vez, pero creo que te verás más hermosa si te
pones esta blusa.*

**Leslie**    OK. I'll wear that blouse and the jeans. Thanks.
*Está bien. Me pondré esa blusa y los pantalones
vaqueros. Gracias.*

Lección

4

# 4 Notas

Le recomendamos que lea las palabras de vocabulario antes de ver el video correspondiente a esta lección. Éstas son las palabras más importantes de esta lección.

| | |
|---|---|
| belt | *cinturón* |
| hat | *sombrero* |
| boot | *bota* |
| coat | *abrigo* |
| sweater | *suéter, jersey* |
| tie | *corbata* |
| watch | *reloj de pulsera* |
| scarf | *pañuelo, bufanda* |
| turtleneck | *cuello alto* |
| vest | *chaleco* |
| | |
| better | *mejor* |
| best | *el/la mejor* |
| worse | *peor* |
| worst | *el/la peor* |
| least | *el/la menos* |
| most | *el/la más* |
| colorful | *con colorido* |
| expensive | *caro(a)* |
| cheap | *barato(a)* |
| cheaper | *más barato(a)* |
| cheapest | *el/la más barato(a)* |

# 4 Vocabulario

| biggest | el/la más grande |
| longest | el/la más largo(a) |
| shortest | el/la más corto(a) |
| smallest | el/la más pequeño(a) |
| ugliest | el/la más feo(a) |
| oldest | el/la más viejo(a) |
| newest | el/la más nuevo(a) |

## Más vocabulario

| superlative adjective | adjetivo superlativo |
| circled | rodeado(a) con un círculo |
| opposite | opuesto(a), contrario |
| group | grupo |

## Elementos esenciales

**Esta sección destaca los elementos básicos de esta lección. Lea detenidamente lo que incluimos en ella.**

This coat is newer than that one.
*Este abrigo es más nuevo que ése.*
This coat is the newest.
*Este abrigo es el más nuevo.*

The red jacket is more expensive than the black jacket.
*La chaqueta roja es más cara que la chaqueta negra.*
The green jacket is the most expensive.
*La chaqueta verde es la más cara.*

## Aprenda y practique

Le recomendamos que aprenda las expresiones y oraciones que se incluyen en esta lección. Practique lo aprendido cada día.

| | | |
|---|---|---|
| old | older | the oldest |
| *viejo(a)* | *más viejo(a)* | *el/la más viejo(a)* |
| | | |
| new | newer | the newest |
| *nuevo(a)* | *más nuevo(a)* | *el/la más nuevo(a)* |
| | | |
| long | longer | the longest |
| *largo(a)* | *más largo(a)* | *el/la más largo(a)* |
| | | |
| short | shorter | the shortest |
| *corto(a)* | *más corto(a)* | *el/la más corto(a)* |
| | | |
| small | smaller | the smallest |
| *pequeño(a)* | *más pequeño(a)* | *el/la más pequeño(a)* |
| | | |
| nice | nicer | the nicest |
| *fino(a)* | *más fino(a)* | *el/la más fino(a)* |
| | | |
| cute | cuter | the cutest |
| *lindo(a)* | *más lindo(a)* | *el/la más lindo(a)* |
| | | |
| big | bigger | the biggest |
| *grande* | *más grande* | *el/la más grande* |

| | | |
|---|---|---|
| fat | fatter | the fattest |
| *gordo(a)* | *más gordo(a)* | *el/la más gordo(a)* |
| thin | thinner | the thinnest |
| *delgado(a)* | *más delgado(a)* | *el/la más delgado(a)* |
| ugly | uglier | the ugliest |
| *feo(a)* | *más feo(a)* | *el/la más feo(a)* |
| pretty | prettier | the prettiest |
| *bonita* | *más bonita* | *la más bonita* |
| beautiful | more beautiful | the most beautiful |
| *hermoso(a)* | *más hermoso(a)* | *el/la más hermoso(a)* |
| interesting | more interesting | the most interesting |
| *interesante* | *más interesante* | *lo más interesante* |
| important | more important | the most important |
| *importante* | *más importante* | *lo más importante* |
| less beautiful | the least beautiful | |
| *menos hermoso(a)* | *el/la menos hermoso(a)* | |
| less interesting | the least interesting | |
| *menos interesante* | *el/la menos interesante* | |
| less important | the least important | |
| *menos importante* | *el/la menos importante* | |

# Apuntes

## Adjetivos superlativos

Los adjetivos superlativos sirven para comparar tres o más cosas.

> She is the most beautiful girl.
> *Ella es la niña más hermosa.*

> Is she the most beautiful girl in the world?
> *¿Es ella la niña más hermosa del mundo?*

> I don't know. She is the most beautiful girl in our class.
> *No lo sé. Ella es la niña más hermosa de nuestra clase.*

Para formar adjetivos superlativos, se deben seguir las reglas siguientes.

Si los adjetivos tienen una sílaba y terminan en dos consonantes: agregue **est**.

| | |
|---|---|
| old | the oldest |
| *viejo(a)* | *el/la más viejo(a)* |
| small | the smallest |
| *pequeño(a)* | *el/la más pequeño(a)* |
| new | the newest |
| *nuevo(a)* | *el/la más nuevo(a)* |

Si el adjetivo tiene una sílaba y termina en **e**: agregue **st**.

| | |
|---|---|
| nice | the nicest |
| *fino(a)* | *el/la más fino(a)* |
| wise | the wisest |
| *sabio(a)* | *el/la más sabio(a)* |
| cute | the cutest |
| *lindo(a)* | *el/la más lindo(a)* |

Si el adjetivo tiene una sílaba y termina en vocal+consonante: duplique la consonante y agregue **est**.

| | |
|---|---|
| big | the biggest |
| *grande* | *el/la más grande* |
| fat | the fattest |
| *gordo(a)* | *el/la más gordo(a)* |
| thin | the thinnest |
| *delgado(a)* | *el/la más delgado(a)* |

Si el adjetivo tiene dos o más sílabas y termina en **y**: cambie la **y** por **i** y agregue **est**.

| | |
|---|---|
| ugly | the ugliest |
| *feo(a)* | *el/la más feo(a)* |
| pretty | the prettiest |
| *lindo(a)* | *el/la más lindo(a)* |
| funny | the funniest |
| *gracioso(a)* | *el/la más gracioso(a)* |

## Adjetivos más largos

Si el adjetivo tiene dos o más sílabas, el superlativo positivo se forma añadiendo **most** delante del adjetivo.

| | |
|---|---|
| beautiful | the most beautiful |
| *hermoso*(a) | *el/la más hermoso*(a) |
| important | the most important |
| *importante* | *lo más importante* |
| expensive | the most expensive |
| *caro*(a) | *el/la más caro*(a) |

Para formar un superlativo negativo, se coloca **least** delante del adjetivo.

| | |
|---|---|
| beautiful | the least beautiful |
| *hermoso*(a) | *el/la menos hermoso*(a) |
| important | the least important |
| *importante* | *lo menos importante* |
| expensive | the least expensive |
| *caro*(a) | *el/la menos caro*(a) |

## Superlativos irregulares

Los adjetivos **good** (bueno) y **bad** (malo) no siguen ninguna de las reglas descritas anteriormente.

| | | |
|---|---|---|
| good | better | the best |
| *bueno* | *mejor* | *el/la mejor* |
| bad | worse | the worst |
| *malo* | *peor* | *el/la peor* |

My mother's cooking is better than my cooking.
*La comida que cocina mi madre es mejor que la que cocino yo.*

My aunt's cooking is the best.
*La comida que cocina mi tía es la mejor.*

The green apple tastes worse than the red one.
*La manzana verde sabe peor que la manzana roja.*

The yellow apple tastes the worst.
*La manzana amarilla es la que sabe peor.*

 La palabra **the** debe colocarse delante de todos los adjetivos superlativos.

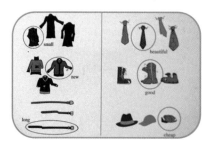

Éste es el texto completo del diálogo incluido en el video. Usted hará el papel del espectador (viewer). Si le hacen una pregunta personal, conteste usando información personal. Tenga en cuenta que las respuestas del espectador que le proporcionamos no son las únicas respuestas correctas.

## ¿Qué le compro a mi padre?

**Robert**
What are you looking for?
*¿Qué estás buscando?*

**Kathy**
I'm looking for a gift for my father.
His birthday is next week.
*Estoy buscando un regalo para mi padre.*
*Su cumpleaños es la próxima semana.*

**Robert**
Do you know what you want to buy?
*¿Sabes lo qué quieres comprar?*

**Kathy**
No, I don't.
*No, no lo sé.*

**Robert**
Well, that sweater is nice. Don't you think so?
*Bueno, ese suéter es fino. ¿No le parece?*

**Viewer**
Yes, I do.
*Sí.*

**Robert**
Does he need a sweater?
*¿Necesita un suéter?*

**Kathy**   He likes sweaters. But that sweater is too fancy.
Can you find a plainer one?
*Le gustan los suéteres. Pero ese suéter es
demasiado elegante.*
*¿Puedes encontrar uno más sencillo?*

**Robert**   How about this one?
*¿Qué te parece éste?*

**Kathy**   Well, it is plainer than that one.
But, I think it's too fancy, too.
Is it the plainest?
*Bueno, es más sencillo que aquél.*
*Pero creo que también es demasiado elegante.*
*¿Es el más sencillo?*

**Robert**   I think so. Does he need some socks?
*Creo que sí. ¿Necesita calcetines?*

**Kathy**   No, he doesn't need any socks.
*No, no necesita calcetines.*

**Robert**   How about a tie?
*¿Qué tal una corbata?*

| Kathy | Hmm... Maybe. |
| | *Mmm... Tal vez.* |

| Robert | How about this one? Or this one? |
| | *¿Qué te parece ésta? ¿O ésta?* |

| Kathy | That one is nice. But that one is nicer. |
| | This one is the nicest! It's the most beautiful. |
| | Is it expensive? |
| | *Ésa es fina. Pero aquella es más fina. ¡Ésta es la más fina!* |
| | *Es la más hermosa. ¿Es cara?* |

| Robert | No. |
| | *No.* |

| Kathy | Terrific! I'll buy it! |
| | *¡Magnífico! ¡La compraré!* |

# V  Notas

# Aprendamos
# Viajando

# V Notas

¡Bienvenido a "Aprendamos Viajando"!

Acompáñenos a una gira por los Estados Unidos. Conocerá las ciudades y regiones más fascinantes de dicho país mientras aprende inglés.

Aprender un nuevo idioma requiere esfuerzo, compromiso y entusiasmo. Resulta más fácil si se dispone de ciertas herramientas. Usted está aprendiendo a hablar inglés, paso a paso, con Inglés sin Barreras. Cada lección ha sido cuidadosamente planeada y medida. Está aprendiendo palabras, expresiones y oraciones de forma progresiva.

"Aprendamos Viajando" le abre las puertas a otro mundo didáctico. En esta sección, está aprendiendo a oír, a escuchar y a entender el inglés hablado a un ritmo normal.

Al principio, descubrirá que no puede entender cada palabra. Sólo entenderá lo esencial de lo que oye. Las imágenes le ayudarán. Poco a poco, irá descubriendo que entiende cada vez más y se sorprenderá de lo rápido que mejora su habilidad para comprender el sentido general de los comentarios de cada video.

Le recomendamos que vea varias veces cada sección de Aprendamos viajando. De esta forma, aumentará su vocabulario mientras explora con nosotros los lugares más interesantes de los Estados Unidos.

¡Le deseamos un feliz viaje!

When people talk of New York City, they usually mean Manhattan. There are four other boroughs in the city—Brooklyn, Queens, Bronx, and Staten Island—but Manhattan is the attraction. Manhattan, with its busy streets, sophisticated restaurants and department stores and elegant and tough neighborhoods, draws tourists from every country in the world.

Manhattan is an island city that is surrounded by rivers: the Hudson, Harlem and East Rivers. Approaching Manhattan from the ocean, one comes face to face with one of the most famous symbols of the modern world: the Statue of Liberty.

Standing over 150 feet high, Lady Liberty has been a symbol of hope and prosperity for millions of immigrants coming to America. Built as a gift from France in the late 19th century, this monument is situated on Liberty Island.

Liberty Island is reached by ferry from Battery Park in lower Manhattan. The nearby Ellis Island provides a complete history of the many people who came to America to seek their fortune.

North of Battery Park, in lower Manhattan, is Wall Street—one of the centers of the financial world. With Trinity Church at the west end of the street, Wall Street contains many offices of the Financial District.

*Cuando la gente habla de la ciudad de Nueva York, se refiere generalmente a Manhattan. Hay cuatro municipios más en la ciudad: Brooklyn, Queens, Bronx y Staten Island; pero Manhattan es el centro de atención. Manhattan, con sus calles bulliciosas, sus restaurantes sofisticados y sus grandes almacenes, sus barrios elegantes y sus barrios malos, atrae a turistas de todos los países del mundo.*

*Manhattan es una ciudad situada en una isla rodeada de ríos: el Hudson, el Harlem y el East. Al acercarse a Manhattan por el océano, uno se encuentra cara a cara con uno de los símbolos más famosos del mundo moderno: la Estatua de la Libertad.*

*Con más de ciento cincuenta pies de altura, la Dama de la Libertad es un símbolo de esperanza y prosperidad para millones de inmigrantes a su llegada a América. Un regalo construido en Francia a finales del siglo diecinueve, este monumento está ubicado en la Isla de la Libertad.*

*Se llega a la Isla de la Libertad por ferry desde Battery Park en el bajo Manhattan. La cercana isla Ellis proporciona la historia completa de las numerosas personas que vinieron a América en busca de fortuna.*

*Wall Street, uno de los centros del mundo financiero, está al norte de Battery Park, en el bajo Manhattan. La iglesia Trinity está en el extremo oeste de la calle, y Wall Street ocupa numerosas oficinas del Distrito Financiero.*

Just west of Wall Street was one of the other great symbols of New York City—the World Trade Center. These buildings towered above the city. The tragedy of September 11, 2001 that destroyed the Twin Towers and much of the rest of the World Trade Center has forever altered the look and the feel of New York City.

But most of the symbols of the great city still stand, including the Brooklyn Bridge. Built from 1869 to 1883, this was the first bridge to use steel cables. Every day people walk or bicycle across the bridge from Brooklyn to Manhattan.

One of the first magnificent buildings in Manhattan was built in 1931 on the corner of 5th Avenue and 34th Street—The Empire State Building. It has 102 floors and 73 elevators. There are 1,806 steps to the top! From the building's Observation Deck visitors have a fantastic view of New York City in all directions.

On the weekends, people shop outside and inexpensively. Downtown bargain-hunting shoppers stroll through the open markets looking at jewelry, clothes, handbags, hats, shoes, and many other items. If the street bargains are not enough, you can enter the many exclusive boutiques and shops along the street.

The "Village," or Greenwich Village, is known for its educational institutions, such as New York University. Washington Square is the public park that is the center of student life in lower Manhattan.

Otro gran símbolo de la ciudad de Nueva York, el World Trade Center, estaba situado justo al oeste de Wall Street. Estos edificios se alzaban por encima de la ciudad. La tragedia del 11 de septiembre de 2001, que destruyó las Torres Gemelas y gran parte del World Trade Center, alteró para siempre la apariencia y el ambiente de la ciudad de Nueva York.

Pero la mayoría de los símbolos de esta gran ciudad siguen en pie, entre ellos, el puente de Brooklyn. Construido entre 1869 y 1883, éste fue el primer puente que se edificó con cables de acero. Todos los días, la gente cruza el puente caminando o en bicicleta desde Brooklyn a Manhattan.

Uno de los primeros y espléndidos edificios de Manhattan se construyó en 1931 en la esquina de la Quinta Avenida y la calle 34; el edificio Empire State. Tiene ciento dos pisos y setenta y tres ascensores. ¡Hay mil ochocientos seis escalones hasta la cima! Desde el mirador del edificio, los visitantes contemplan las magníficas vistas de la ciudad de Nueva York en todas direcciones.

Los fines de semana, la gente compra artículos baratos. En el centro de la ciudad, los compradores, buscando gangas, se pasean por los mercados al aire libre mirando alhajas, ropa, bolsos de mano, sombreros, zapatos y muchas cosas más. Si las rebajas de los mercados no son suficientes, usted puede entrar en las numerosas boutiques y tiendas exclusivas.

El "Village", o Greenwich Village, es famoso por sus centros académicos, como por ejemplo, la Universidad de Nueva York. La plaza Washington es el parque público que se ha convertido en el centro de reunión estudiantil del bajo Manhattan.

Today students, faculty and working artists occupy the buildings in the neighborhoods surrounding the Village.

South of Canal Street are 40 square blocks of Chinatown. With its food stalls, green grocers, and specialty restaurants, this Chinese community of more than 150,000, is the largest Chinese community outside of Asia.

North of Canal Street, and within easy walking distance of Chinatown, is Little Italy, the home of delicious Italian cuisine. Sitting in an outdoor café after a meal on Mulberry Street, one can enjoy the slow motion of an Italian street scene in lower Manhattan.

Broadway. Just saying the word brings New York to mind. This famous Theater District is located along Broadway, roughly between 42nd Street and 59th Street. For inexpensive tickets to a musical, drama, or comedy production, visit TKTS in Duffy Square.

During the evening hours, Duffy Square is home to numerous neon signs and all kinds of nightlife.

Just to the east of the Theater District, in an area of Manhattan known as Midtown, is Grand Central Terminal. Grand Central is a good place to experience the rush and energy of New York City.

Hoy en día, estudiantes, profesores y artistas ocupan los edificios de los barrios que rodean el Village.

Las 40 manzanas de Chinatown están al sur de la calle Canal. Con sus puestos de comida, verdulerías, y restaurantes típicos, esta comunidad de más de cincuenta mil habitantes es la comunidad china más importante fuera de Asia.

Little Italy, el barrio que ofrece sabrosa cocina italiana, está al norte de la calle Canal y a corta distancia a pie de Chinatown. Al sentarse en la terraza de un café después de comer en la calle Mulberry, se disfruta del ritmo apacible de las calles italianas del bajo Manhattan.

Broadway. Basta con pronunciar esa palabra para pensar en Nueva York. Este famoso distrito teatral está ubicado en la avenida Broadway, más o menos entre la calle 42 y la 59. Si desea comprar entradas a precio razonable para un musical, un drama o una comedia, vaya a TKTS en la plaza Duffy.

Por la noche, la plaza Duffy se viste de luces de neón y alberga toda clase de vida nocturna.

La estación Grand Central está justo al este del distrito teatral, en el área de Manhattan conocida como Midtown. La estación Grand Central es un buen lugar para sentir el ritmo acelerado y la energía de la ciudad de Nueva York.

# Aprendamos Viajando

Eight blocks north of Grand Central on Fifth Avenue is Rockefeller Center. With nineteen buildings, this is the largest privately owned entertainment and business complex in the world. Prometheus watches over the Plaza, where tourists and New Yorkers meet and stroll during every season of the year.

Directly across from Rockefeller Center on Fifth Avenue is St. Patrick's Cathedral. This church is an adaptation of French-Gothic style, with its spires rising up to 330 feet.

The United Nations is situated between First Avenue and the East River. The UN's 188 member nations are represented by their flags, in alphabetical order, outside the General Assembly Building.

The center of Manhattan is dominated by Central Park. This man-made park has 6.5 miles of roads, 58 miles of pedestrian walks and 4.5 miles of horse paths. Thousands of New Yorkers visit Central Park on the weekends.

To see all of Manhattan in about three hours, try the Circle Line. Departing from Pier 83, twelve cruises circle the island of Manhattan daily. Perhaps the highlight is sailing under the George Washington Bridge. Designed by the French architect Le Corbusier, this magnificent 3,500-foot suspension bridge has been called "the most beautiful bridge in the world."

From the boat you can see all of the bridges that connect Manhattan to other places, the tall buildings that make up Manhattan and even Yankee Stadium.

New York City, "the big apple," is "the city that never sleeps." It has even been called "the capital of the world." Its easy to see why people say, "If you are bored in New York, it's your own fault."

El centro Rockefeller está ocho cuadras al norte de Grand Central, en la Quinta Avenida. Consta de diecinueve edificios y es el complejo privado dedicado a los negocios y los espectáculos más grande del mundo. Prometeo vigila la plaza donde los turistas y neoyorquinos se reúnen y pasean en todas las estaciones del año.

La Catedral de San Patricio está justo enfrente del centro Rockefeller, en la Quinta Avenida. Su estilo es una adaptación del estilo gótico francés, con las torrecillas que se elevan a trescientos treinta pies de altura.

El edificio de las Naciones Unidas está situado entre la Primera Avenida y el río East. Los ciento ochenta y ocho miembros de las Naciones Unidas están representados por las banderas colocadas en orden alfabético fuera del edificio de la Asamblea General.

Central Park domina el centro de Manhattan. Este parque artificial tiene seis millas y media de caminos, cincuenta y ocho millas de senderos peatonales y cuatro millas y media de vías equestres. Miles de neoyorquinos visitan Central Park los fines de semana.

Para ver todo Manhattan en unas tres horas aproximadamente, tome el ferry de la compañía Circle Line que parte del Muelle 83. Doce cruceros circundan la isla de Manhattan a diario. Tal vez la atracción principal sea navegar por debajo del puente George Washington. Diseñado por el arquitecto francés Le Corbusier, este magnífico puente colgante de tres mil quinientos pies ha sido denominado "el puente más hermoso del mundo".

Desde el barco se puede ver todos los puentes que unen Manhattan a otros lugares, los rascacielos que forman Manhattan e incluso el estadio Yankee.

La ciudad de Nueva York, "la gran manzana", es "la ciudad que nunca duerme". Se le ha llamado incluso "la capital del mundo". Es fácil entender por qué dice la gente: "Si te aburres en Nueva York, es culpa tuya".

# C Notas

# C

**Aprendamos Cantando**

# Aprendamos Cantando C

## Introducción

El idioma inglés es mucho más que un conjunto de palabras y reglas gramaticales; y donde más se hace aparente es en el lenguaje hablado. El inglés informal contiene expresiones, vocablos y frases que usted no encontrará en los diccionarios y que, sin embargo, son esenciales para comunicarse. Los modismos ingleses, o **idioms**, como **never mind** o **it's up to you**, pueden generar frustración en el estudiante, que ni los entiende, ni sabe dónde encontrar su significado. Si no logra dominarlos y utilizarlos, su comprensión y manejo del lenguaje serán incompletos y limitados.

Nuestro propósito es enseñarle el inglés de la vida real y cotidiana. El mejor ejemplo de este inglés lo ofrecen las canciones populares, ya que éstas están repletas de modismos, contracciones, abreviaturas y expresiones que sólo se utilizan en el inglés informal.

Los temas que contiene Aprendamos Cantando, representativos de los distintos géneros de la música inglesa, han sido seleccionados por su riqueza en este tipo de expresiones y por su interés lingüístico. Una vez que haya analizado su contenido y aprendido a cantarlos, no solo dominará palabras y frases de uso diario en el inglés hablado, sino que además, habrá sacado a relucir el artista que hay en su interior.

A continuación encontrará algunas sugerencias que le ayudarán a estudiar con estas canciones.

En la primera parte de Aprendamos Cantando se explicarán las expresiones o frases importantes que aparecen en la canción. Escuche la canción y siga la letra en su pantalla. Repita esto cuantas veces le parezca necesario hasta que entienda y sepa pronunciar todas las palabras. En el manual de cada volumen, encontrará la letra de la canción en inglés y su traducción al español.

# Aprendamos Cantando

Luego, cante las estrofas al mismo tiempo que el cantante. Después de la versión cantada, usted oirá la canción de nuevo, pero esta vez sin la voz del cantante. El último paso es cantar la canción usted sólo, acompañado sólamente por la melodía y siguiendo la letra en la pantalla de su televisor. La bolita y el cambio de color de cada estrofa le ayudarán a cantar en sintonía con la música. Además, hemos escrito en verde las palabras cuyo significado se explica en el manual.

*Es muy simple. Ahora, vamos a divertirnos y a aprender... ¡Cantando!*

## Like a Virgin

Música y Letra
**Billy Steinberg**

*La música y letra de las canciones se encuentran en los videos. Localice en su video la sección titulada "Aprendamos Cantando".*

**Like A Virgin** es una canción pop típica del final del apogeo de la música "disco" o "de discoteca" de la década de los ochenta. La musica pop, o **pop music** (música popular), es un término muy general que describe canciones con un ritmo marcado y que se tocan con instrumentos electrónicos. **Like A Virgin**, la canción que titula el segundo disco de Madonna, fue la primera canción de la cantante que llegó al número 1 en ventas en los EE.UU.

**Like a Virgin** presenta varios ejemplos de cómo acortar palabras al hablar. Estas expresiones son muy comunes en el inglés hablado pero no en el inglés escrito.
La palabra **because**, "porque", pierde una sílaba y se convierte simplemente en **'cause**. Fíjese en el apóstrofe que se encuentra antes de la letra "**c**". El apóstrofe nos señala que faltan una o más letras. En este caso, el apóstrofe sustituye a 2 letras: la **b** y la **e**.

**I have been** se convierte en **been**.
**Been saving my love**, significa lo mismo que **I have been saving my love**, "he estado guardando mi amor".
La expresión **gonna** nos ahorra tres palabras, ya que se utiliza en vez de **I am going to**.
**Gonna give you all my love** es lo mismo que **I am going to give you all my love**, y significa "te voy a dar todo mi amor". **Gonna** es propio del lenguaje coloquial hablado y no se debe usar al escribir.

Otras expresiones interesantes son **I was beat** y **I'd been had**.
**To beat** quiere decir "pegar" o "derrotar", pero **to be beat** también tiene otro sentido en el lenguaje coloquial: "estar abatido".
**I was beat**, significa por lo tanto, "Estaba abatida".

# C Aprendamos Cantando

La traducción literal de **I'd been had** es "me habían tenido", lo cual suena a pura tontería. Sin embargo, **to be had** es una frase hecha que significa "ser engañado". Por lo tanto, **I'd been had** significa "me habían engañado".

En el inglés hablado, también se abrevian los verbos. Esta canción incluye varios ejemplos.

- **I'd** en vez de **I had**.
- **I'll** en vez de **I will**.

La palabra **will**, como la expresión **going to**, se usa para indicar el futuro. Por ejemplo, la canción dice **I'll be yours**, que es lo mismo que **I will be yours**, "yo seré tuya".

Otra contracción muy común es **you're** en vez de **you are**.
¡Ojo!
**You're** se confunde a menudo con la palabra **your** ya que se pronuncia igual. Pero ambas se escriben de forma diferente y su significado es totalmente distinto.
**Your** quiere decir "tuyo" o "tuyos".
**You're,** significa "tú eres" o "usted es".

**Blue**, que es "azul" en inglés, también significa "tristeza" o "melancolía".
**I was sad and blue** quiere decir "Estaba triste y melancólica".
En inglés, se utilizan con frecuencia los colores para describir estados de ánimo.
**To see red**, que palabra por palabra significa "ver rojo", se usa en vez de "enojarse". **A black mood** -palabra por palabra, "humor negro"- significa "mal humor".
Una palabra que usted escuchará muy a menudo es **yeah**, la manera informal de decir **yes**, "sí".

*Y ahora diviértase cantando... Like A Virgin.*

## Como una virgen

*Atravesé el desierto,*
*De alguna forma lo atravesé.*
*No sabía cuán perdida estaba*
*Hasta que te encontré.*
*Estaba abatida,*
*Incompleta,*
*Me habían engañado,*
*Estaba triste y melancólica.*
*Pero tú me hiciste sentir*
*Sí, me hiciste sentir*
*Brillante y nueva.*
*Hey, como una virgen,*
*Tocada por primera vez,*
*Como una virgen,*
*Cuando tu corazón palpita*
*Junto al mío.*

*Te daré todo mi amor, chico.*
*Mi miedo se esfuma rápidamente.*
*Lo he guardado todo para ti,*
*Porque sólo el amor perdura.*
*Eres tan hermoso y eres mío.*
*Hazme fuerte,*
*Sí, me haces valiente.*
*Oh, tu amor derritió*
*Sí, tu amor derritió*
*Lo que estaba asustado y frío.*

## Like A Virgin

I made it through the wilderness
Somehow I made it through
Didn't know how lost I was
Until I found you
I was beat
Incomplete
I'd been had,
I was sad and blue
But you made me feel
Yeah, you made me feel
Shiny and new
Hey, like a virgin
Touched for the very first time
Like a virgin
When your heart beats
Next to mine

Gonna give you all my love, boy
My fear is fading fast
Been saving it all for you
'Cause only love can last
You're so fine and you're mine
Make me strong
Yeah, you make me bold
Oh, your love thawed out
Yeah, your love thawed out
What was scared and cold

| | |
|---|---|
| *Como una virgen, hey* | Like a virgin, hey |
| *Tocada por primera vez,* | Touched for the very first time, |
| *Como una virgen* | Like a virgin |
| *Con el latido de tu corazón* | With your heartbeat |
| *Junto al mío, oooh, ooh.* | Next to mine, ooh, oooh |
| | |
| *¡Eres tan hermoso y eres mío!* | You're so fine and you're mine! |
| *Seré tuya hasta el fin del tiempo* | I'll be yours till the end of time! |
| *Porque me hiciste sentir* | 'Cause you made me feel |
| *Sí, me hiciste sentir* | Yeah, you made me feel |
| *Que no tenía nada que esconder.* | I'd nothing to hide |
| | |
| *Como una virgen, hey* | Like a virgin, hey |
| *Tocada por primera vez* | Touched for the very first time |
| *Como una virgen* | Like a virgin |
| *Con el latido de tu corazón* | With your heartbeat |
| *Junto al mío.* | Next to mine |
| | |
| *Como una virgen* | Like a virgin |
| *Oooh, como una virgen* | Oooh, like a virgin |
| *Se siente tan bien adentro,* | Feels so good inside |
| | |
| *Cuando tu me abrazas* | When you hold me |
| *Y tu corazón late,* | And your heart beats |
| *Y me amas, oh* | And you love me, oh |
| *Oooh, nene* | Oooh, baby |
| *¿No oyes latir mi corazón* | Can't you hear my heart beat |
| *Por primerísima vez?* | For the very first time? |

# Curso
# de Audio

## Unidad 13: ¿Vamos al cine?

A   What would you say to a movie this evening, Maria?
    *¿Te gustaría ver una película esta noche, María?*

B   What a good idea! Have you any particular one in mind?
    *¡Qué buena idea! ¿Tienes alguna en particular en mente?*

A   Something light and amusing. What about the Michael Douglas movie, "Black Rain"?
    *Algo ligero y divertido. ¿Qué te parece la película de Michael Douglas, "Lluvia negra"?*

B   Sounds fine. Where is it on?
    *Suena bien. ¿Dónde la están pasando?*

A   It's playing at the Paris, next to the Plaza Hotel. Let me see. It starts at 7:10.
    *La están pasando en el Paris, junto al Hotel Plaza. Déjame ver. Empieza a las 7:10.*

B   OK, let's meet here at 5:30, after class, and have a quick sandwich before we go.
    *Bueno, reunámonos aquí a las 5:30, después de clase, y comeremos un emparedado rápido antes de ir.*

A   Right. See you there at 5:30, then. Bye for now. Back to class.
*Seguro. Entonces te veo ahí a las 5:30. Adiós. Vuelvo a clase.*

## Variantes y Combinaciones

see you here
*te veo aquí*

# Curso de Audio

A  Are you coming in tomorrow morning, Carla?
*¿Vendrás mañana por la mañana, Carla?*

B  Excuse me? I didn't catch what you said, Juan.
*¿Perdón? No entendí lo que dijiste, Juan.*

A  I wondered if you were working tomorrow morning.
*Me preguntaba si trabajabas mañana por la mañana.*

B  Let me check the schedule. Saturday the twenty-second. It looks like
I'm down for the early shift tomorrow, yes. But I'm off Sunday.
*Déjame revisar el horario. Sábado veintidós. Mmm, sí, parece que
mañana me toca el turno de mañana. Pero no trabajo el domingo.*

A  That's what I thought. Good. Then I'll see you tomorrow morning.
Have a good night.
*Eso es lo que pensaba. Bueno. Entonces, te veo mañana por la
mañana. Que pases una buena noche.*

B  Thanks. You too. Good night.
*Gracias. Tú también. Buenas noches.*

# Notas

# Notas

# Notas